SCRAMBLED WORD PUZZLE

The letters in the words below are all jumbled up. Unscramble them and put them in the right order to find the correct words.

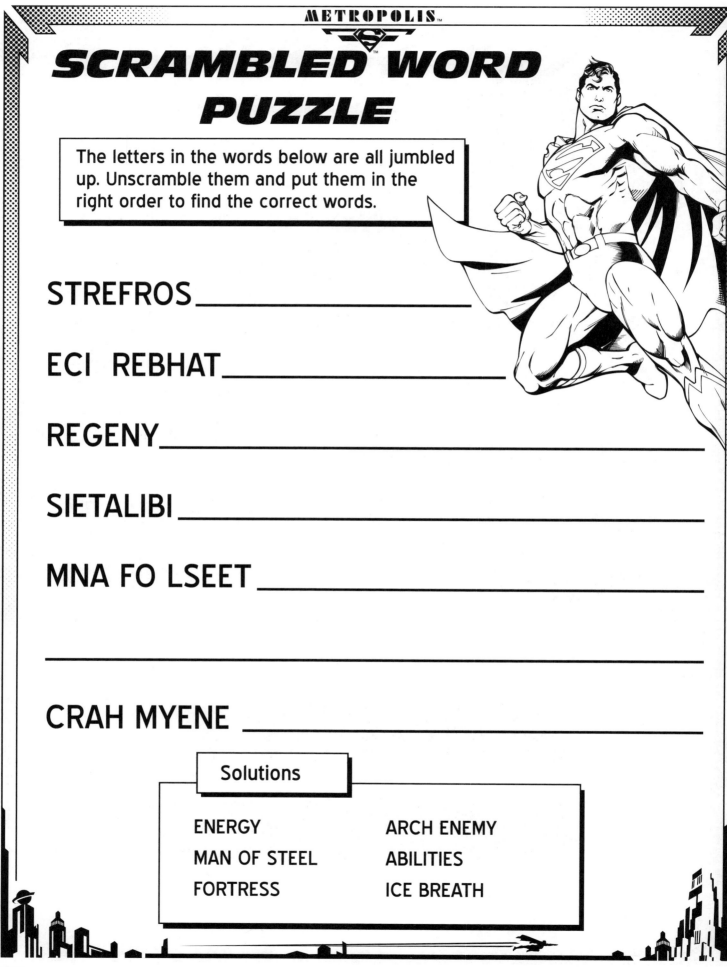

STREFROS_____

ECI REBHAT_____

REGENY_____

SIETALIBI _____

MNA FO LSEET _____

_____

CRAH MYENE _____

Solutions

ENERGY	ARCH ENEMY
MAN OF STEEL	ABILITIES
FORTRESS	ICE BREATH

DECODE THE KRYPTONITE

Use the alphabet below to decode the Kryptonite words into English.

the _____   u b v   R E S

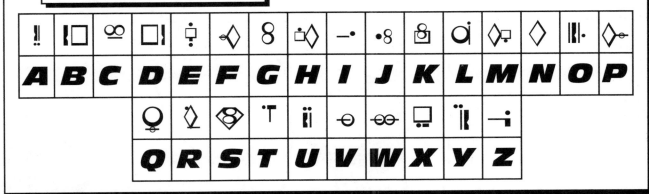

Kryptonite alphabet

‼	▮	∞	▯	⚡	◇	8	⬧	⋅	⋅8	▣	◑	◈	◇	▮⋅	◇⋅
A	**B**	**C**	**D**	**E**	**F**	**G**	**H**	**I**	**J**	**K**	**L**	**M**	**N**	**O**	**P**

♀	◈	◈	⊤	⁞	⊖	⊶	⊡	⁞	⊣						
Q	**R**	**S**	**T**	**U**	**V**	**W**	**X**	**Y**	**Z**						

BE CREATIVE

What powers does Superman use to fly through the air? Finish off drawing the picture.

3 IN A ROW WINS

Play this with your family or friends! The first player to complete a line of three circles or crosses, either horizontally, vertically or diagonally, is the winner.

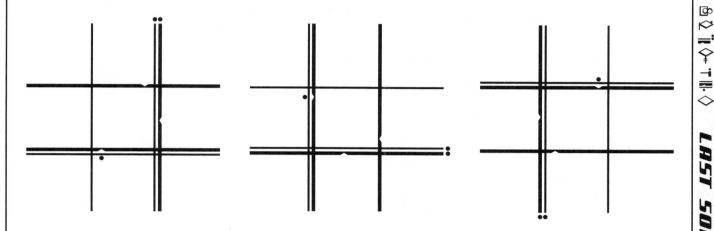

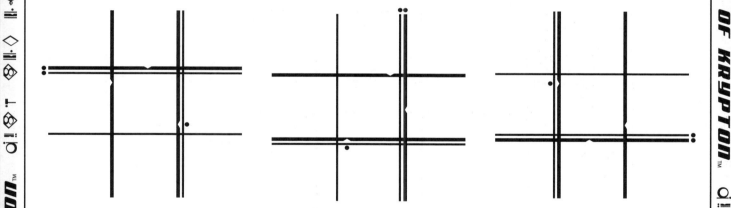

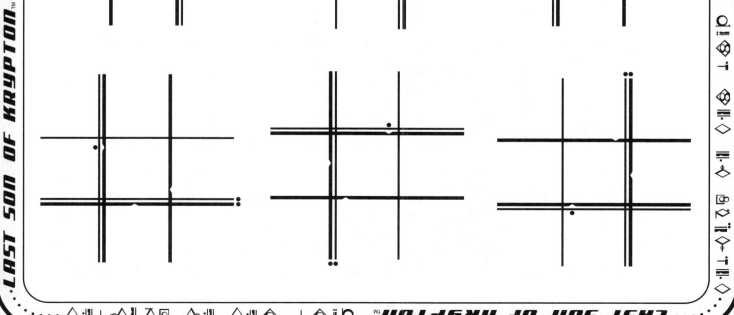

PICTURE PUZZLE

Complete the rows. But be careful: each picture should only appear once in each row and each column. Draw lines connecting the pictures to their correct position in the grid.

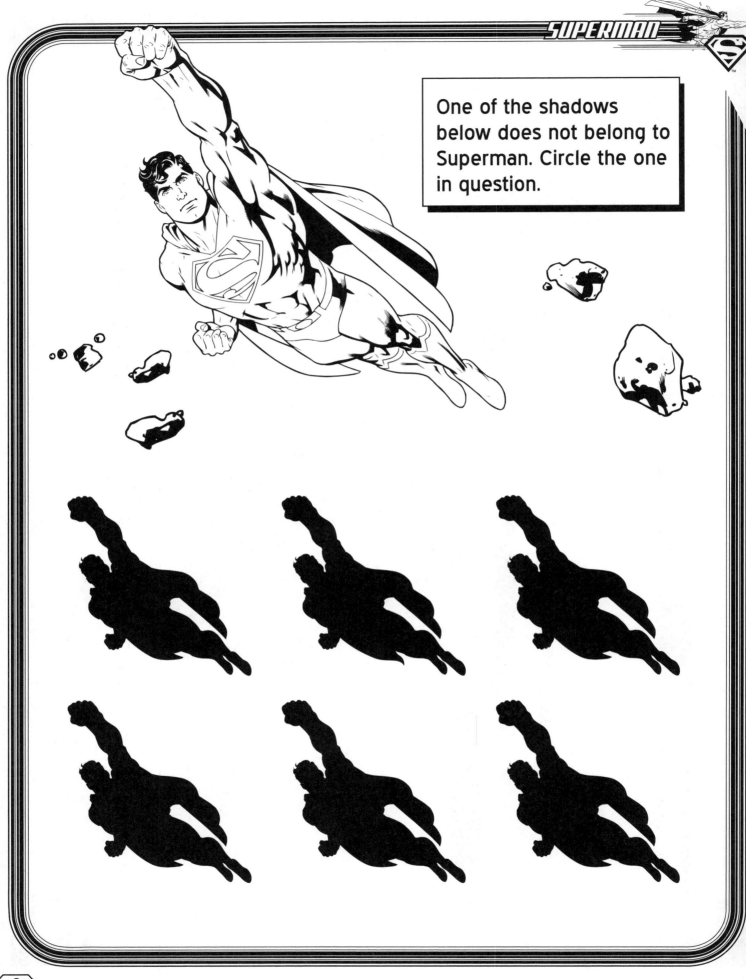

One of the shadows below does not belong to Superman. Circle the one in question.

THE ESCAPE

Help Superman by saving him from the Kryptonite and showing him the way through the maze.

FINISH

START

BE CREATIVE

Superman is incredibly strong. What is he holding up in the picture? Finish off the rest of the picture yourself.

3 IN A ROW WINS

Play this with your family or friends! The first player to complete a line of three circles or crosses, either horizontally, vertically or diagonally, is the winner.

PICTURE PUZZLE

Complete the rows. But be careful: each picture should only appear once in each row or column. Draw lines connecting the pictures to their correct position in the grid.

Where does this section of shadow fit in the main picture? Circle the spot and then colour in the picture.

SCRAMBLED WORD PUZZLE

The letters in the words below are all jumbled up. Unscramble them and put them in the right order to find the correct words.

PINJUGM TILBAYI _____

PLTOMSOERI _____

LWEYOL NSU _____

AGNEELR OZD _____

KLCRA TKNE _____

THUTR _____

Solutions

METROPOLIS	JUMPING ABILITY
CLARK KENT	YELLOW SUN
TRUTH	GENERAL ZOD

DECODE THE KRYPTONITE

Use the alphabet below to decode the Kryptonite words into English.

_____

_____

Kryptonite alphabet

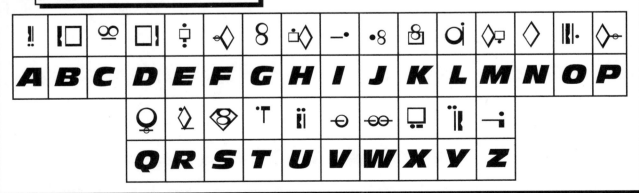

3 IN A ROW WINS

Play this with your family or friends! The first player to complete a line of three circles or crosses, either horizontally, vertically or diagonally, is the winner.

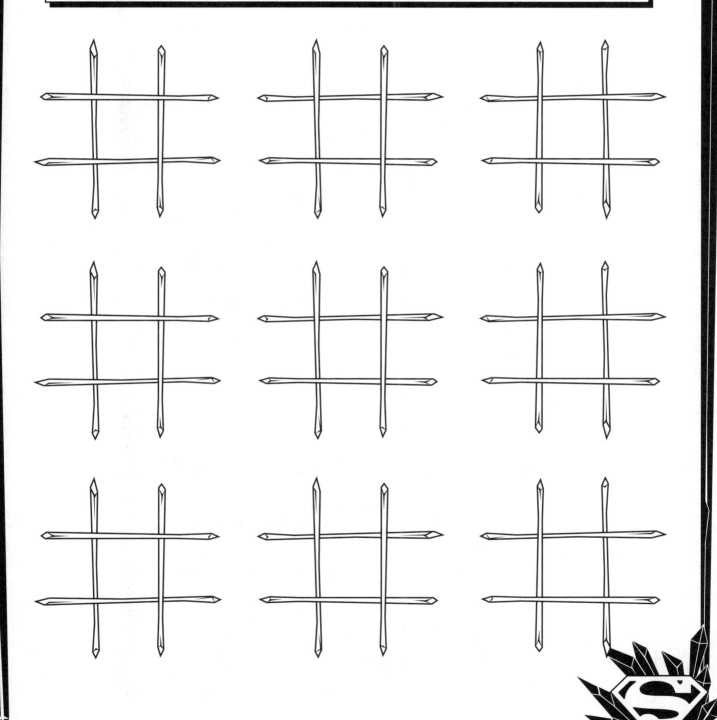

PICTURE PUZZLE

Complete the rows. But be careful: each picture should only appear once in each row or column. Draw lines connecting the pictures with their correct position in the grid.

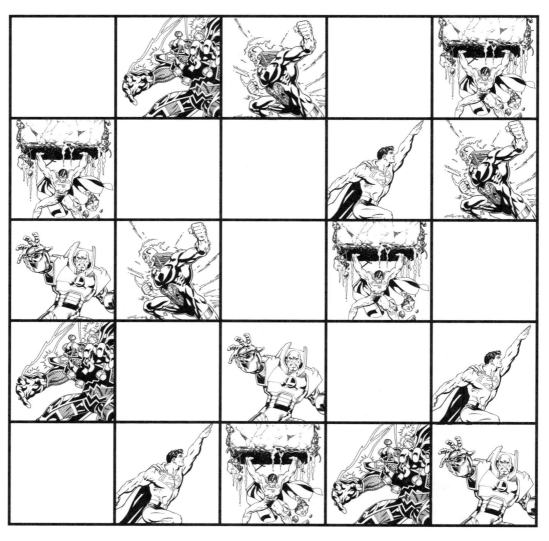

18

Where does this section of shadow fit in the main picture? Circle the spot and then colour it in.

SCRAMBLED WORD PUZZLE

The letters in the words below are all jumbled up. Unscramble them and put them in the right order to find the correct words.

REOPTRRE _____

STEJCUI _____

TEYINTID _____

RYESOMITUS _____

SNO FO YTRPNOK _____

EMHOEANNLP _____

Solutions

REPORTER	IDENTITY
MYSTERIOUS	JUSTICE
SON OF KRYPTON	PHENOMENAL

DECODE THE KRYPTONITE

Use the alphabet to decode the Kryptonite words into English.

_____   _____

_____

Kryptonite alphabet

A	B	C	D	E	F	G	H	I	J	K	L	M	N	O	P

Q	R	S	T	U	V	W	X	Y	Z

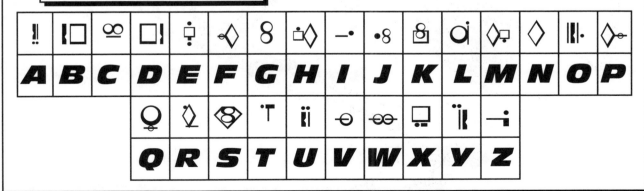

3 IN A ROW WINS

Play this with your family or friends! The first player to complete a line of three circles or crosses, either horizontally, vertically or diagonally, is the winner.

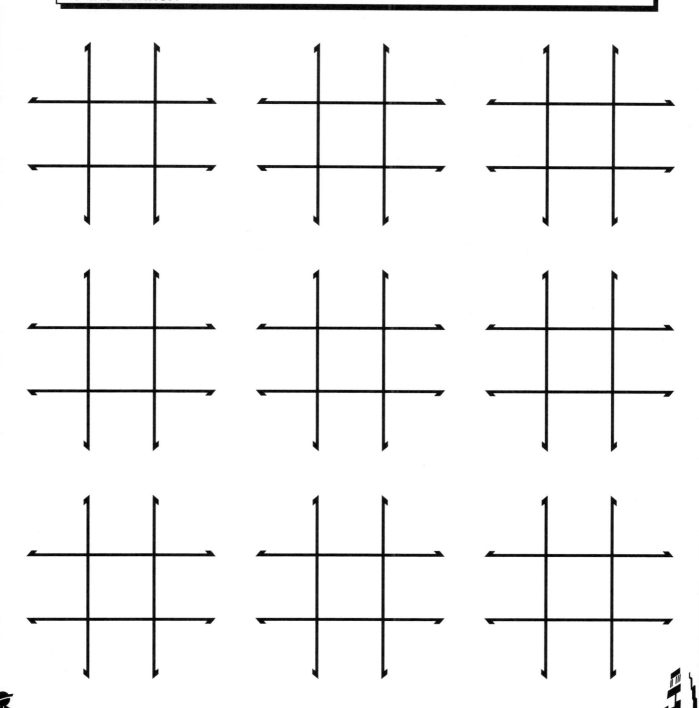

BE CREATIVE

Superman is flying across Metropolis.
Draw the city and colour it in.

Where does this section of shadow fit in the main picture? Circle the spot and then colour in the picture.

SCRAMBLED WORD PUZZLE

The letters in the words below are all jumbled up. Unscramble them and put the letters in the right order to find the correct words.

AKL-LE _____

RKPYNOT _____

XLE TULROH _____

NINGNUC _____

HETNGRST _____

PERSU OHRE _____

Solutions

KRYPTON	SUPER HERO
LEX LUTHOR	STRENGTH
CUNNING	KAL-EL

DECODE THE KRYPTONITE

Use the alphabet to decode the Kryptonite words below into English.

Kryptonite alphabet

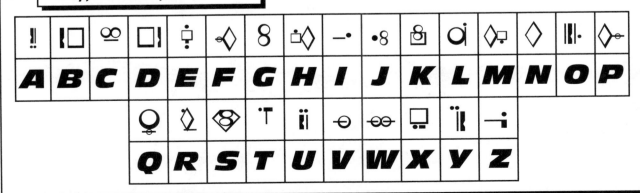

‖	⬚	∞	⬚	⋮	◇	8	◇	⟋	•8	⊞	◷	◇	◇	‖⋅	◇
A	**B**	**C**	**D**	**E**	**F**	**G**	**H**	**I**	**J**	**K**	**L**	**M**	**N**	**O**	**P**

⚲	⟁	⧇	⟙	⁞	⊖	∞	⬚	⁞	⊣
Q	**R**	**S**	**T**	**U**	**V**	**W**	**X**	**Y**	**Z**

BE CREATIVE

Superman is defending Metropolis. Draw in his opponent and finish off the picture.

3 IN A ROW WINS

Play this with your family or friends! The first player to complete a line of three circles or crosses, either horizontally, vertically or diagonally, is the winner.

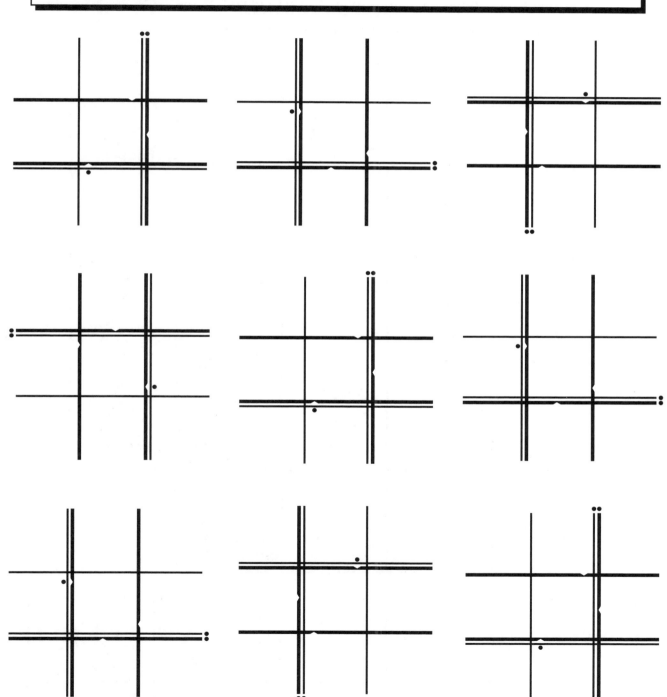

PICTURE PUZZLE

Complete the rows. But be careful: each picture should only appear once in each row or each column. Draw lines connecting the pictures to their correct position in the grid.

One of the shadows below does not belong to Superman. Mark it with a circle.

THE MAZE

Help Superman: save him from the Kryptonite and show him the way through the maze.

START

FINISH

Find where this segment
of shadow fits in the main
picture, then circle the spot
and colour in the picture.

3 IN A ROW WINS

Play this with your family or friends! The first player to complete a line of three circles or crosses, either horizontally, vertically or diagonally, is the winner.

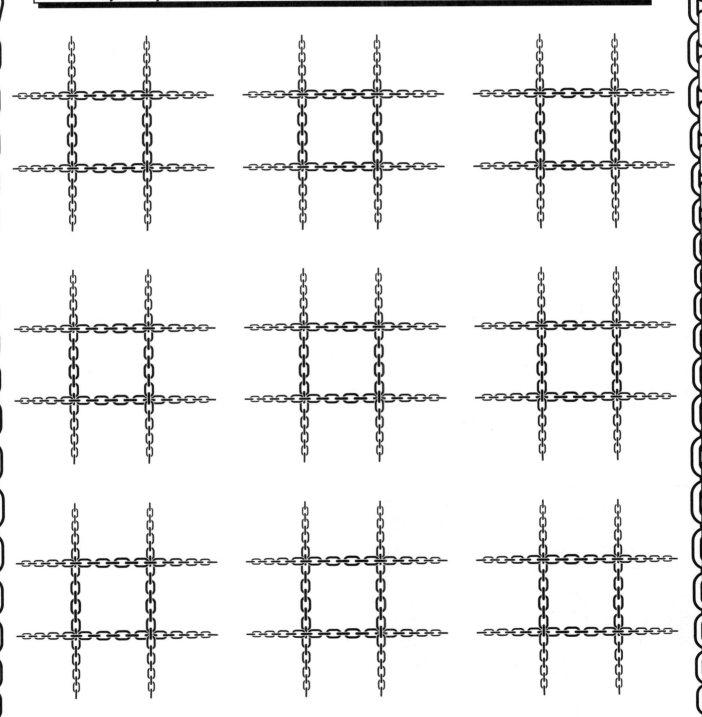

BE CREATIVE

Finish off the picture. Who is Superman's opponent?

DECODE THE KRYPTONITE

Use the alphabet below to decode the Kryptonite words into English.

_____

_____

_____   _____

Kryptonite alphabet

!!	⊡	∞	□|	⚲	◈	8	⊡◈	—•	•8	🄺	Oi	◈⚲	◇	‖‖•	◇—
A	**B**	**C**	**D**	**E**	**F**	**G**	**H**	**I**	**J**	**K**	**L**	**M**	**N**	**O**	**P**

♀	◇|	🛡	·T	⸪	⊖	∞	🖥	⁞	—¡
Q	**R**	**S**	**T**	**U**	**V**	**W**	**X**	**Y**	**Z**

SCRAMBLED WORD PUZZLE

The letters in the words below are all jumbled up. Unscramble them and put them in the right order to find the correct words.

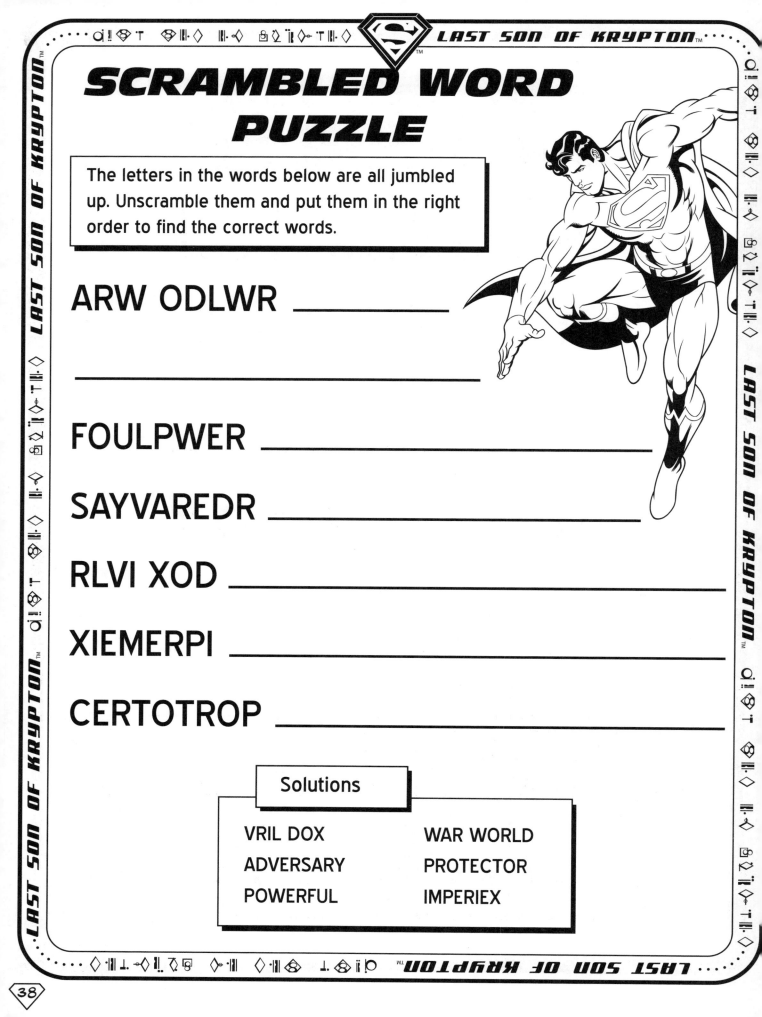

ARW ODLWR _____

_____

FOULPWER _____

SAYVAREDR _____

RLVI XOD _____

XIEMERPI _____

CERTOTROP _____

Solutions

VRIL DOX	WAR WORLD
ADVERSARY	PROTECTOR
POWERFUL	IMPERIEX

3 IN A ROW WINS

Play this with your family or friends! The first player to complete a line of three circles or crosses, either horizontally, vertically or diagonally, is the winner.

BE CREATIVE

Use your imagination to complete the picture of Superman. The squares will guide you.

DECODE THE KRYPTONITE

Use the alphabet to decode the Kryptonite words into English.

_____   _____

Kryptonite alphabet

‖	‖	∞	☐	⌀	◇	8	◇	→	8	8	○	◇	◇	‖	◇
A	**B**	**C**	**D**	**E**	**F**	**G**	**H**	**I**	**J**	**K**	**L**	**M**	**N**	**O**	**P**

♀	◇	8	T	‖	⊖	∞	☐	‖	⊣
Q	**R**	**S**	**T**	**U**	**V**	**W**	**X**	**Y**	**Z**

PICTURE PUZZLE

Complete the rows. But be careful: each picture should only appear once in each row and each column. Draw lines connecting the pictures to their correct position in the grid.

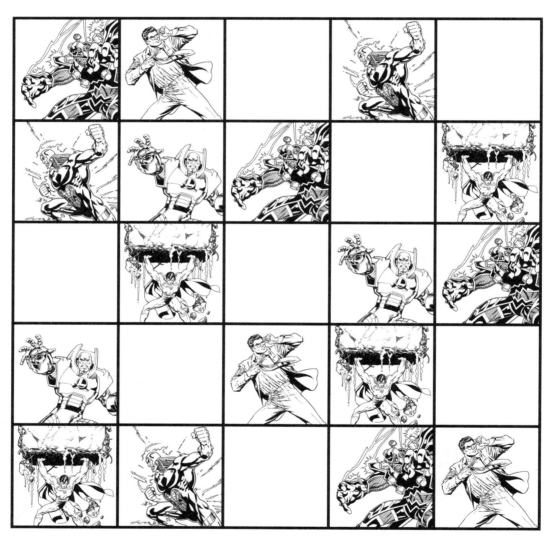

SCRAMBLED WORD PUZZLE

The letters in the words below are all jumbled up. Unscramble them and put them in the right order to find the correct words.

RLAMO _____

PRENWAPSE _____

ATHE NISVIO _____

OSLI ELNA _____

BIVICENNLI _____

CXEOPLR _____

Solutions

INVINCIBLE	LOIS LANE
HEAT VISION	LEXCORP
NEWSPAPER	MORAL

DECODE THE KRYPTONITE

Use the alphabet to decode the Kryptonite words into English.

•8 ‖‖• ◇ ‼ ⸆ ⊡◇ ‼ ◇  ‼ ◇ □‖

_____   _____

◇‼ ‼ ◈ ⸆ ⊡◇ ‼  8̣ ⸲ ◇ ⸆

_____   _____

Kryptonite alphabet

‼	[□	∞	□‖	⚲	◇	8	⊡◇	-•	•8	8̣	◌|	◇⸱	◇	‖‖•	◇⸲
A	**B**	**C**	**D**	**E**	**F**	**G**	**H**	**I**	**J**	**K**	**L**	**M**	**N**	**O**	**P**

⚲	◇̣	⊗	⸆	⸲̈	⊖	∞	⊡	‖̈	⫟
Q	**R**	**S**	**T**	**U**	**V**	**W**	**X**	**Y**	**Z**

SCRAMBLED WORD PUZZLE

The letters in the words below are all jumbled up. Unscramble them and put them in the right order to find the correct words.

SEVINERU _____

ALEILMLLSV _____

RACIBNAI _____

NELIDESHA _____

EMIT VELART _____

LNASEPT _____

Solutions

HEADLINES	PLANETS
SMALLVILLE	TIME TRAVEL
BRAINIAC	UNIVERSE

3 IN A ROW WINS

Play this with your family or friends! The first player to complete a line of three circles or crosses, either horizontally, vertically or diagonally, is the winner.

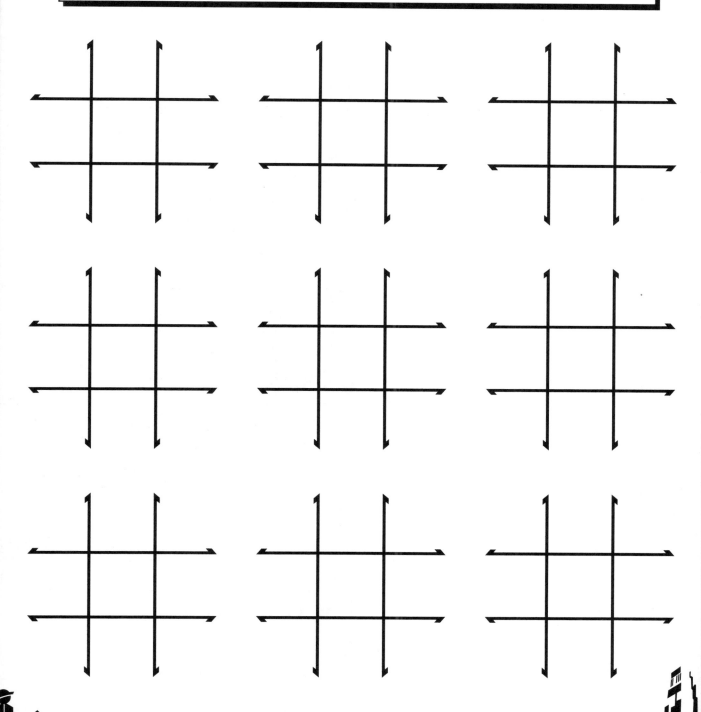

BE CREATIVE

Use your imagination to finish off this picture of Metallo.
The squares will guide you.

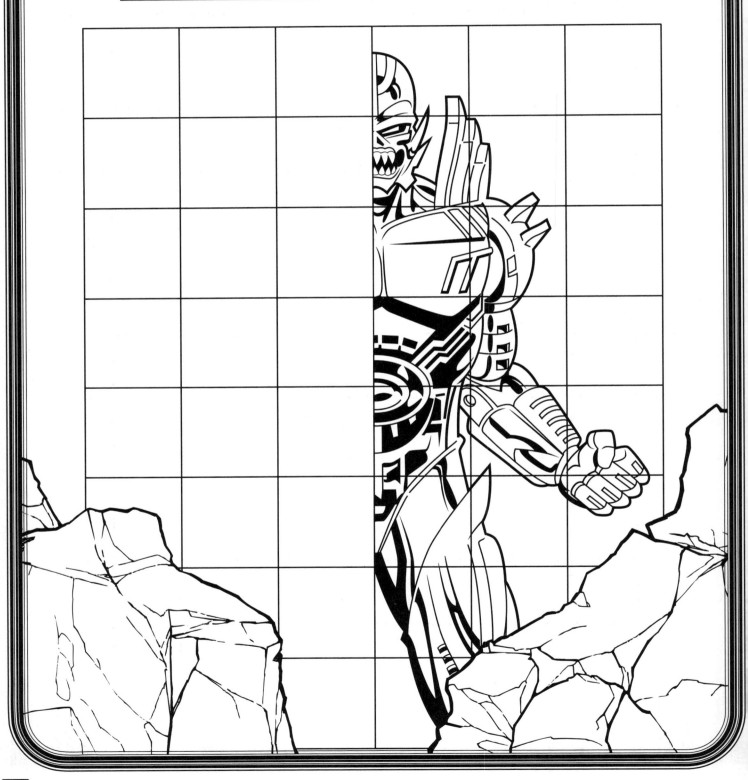

Find where this segment of shadow fits in the main picture. Circle the spot and colour in the picture.

SCRAMBLED WORD PUZZLE

The letters in the words below are all jumbled up. Unscramble them and put them in the right order to find the correct words.

SAXR-Y _____

AUMNPESR _____

IYADL LPETAN _____

TAONINRNOFCTO _____

STYRYME _____

TALBET RORUMA _____

Solutions

X-RAYS	MYSTERY
BATTLE ARMOUR	DAILY PLANET
SUPERMAN	CONFRONTATION

DECODE THE KRYPTONITE

Use the alphabet to decode the Kryptonite words into English.

_____   _____

_____

Kryptonite alphabet

‖	[□]	∞	□]	⊡	◇	8	⊡◇	–•	•8	⊡	◯↓	◇⊡	◇	‖‖·	◇⊖
A	**B**	**C**	**D**	**E**	**F**	**G**	**H**	**I**	**J**	**K**	**L**	**M**	**N**	**O**	**P**

♀	◇	⊗	•T	‖	⊖	∞	□	‖	⌐
Q	**R**	**S**	**T**	**U**	**V**	**W**	**X**	**Y**	**Z**

BE CREATIVE

Use your imagination to finish off the picture of Superman. The squares will guide you.

3 IN A ROW WINS

Play this with your family or friends! The first player to complete a line of circles and crosses, either horizontally, vertically or diagonally, is the winner.

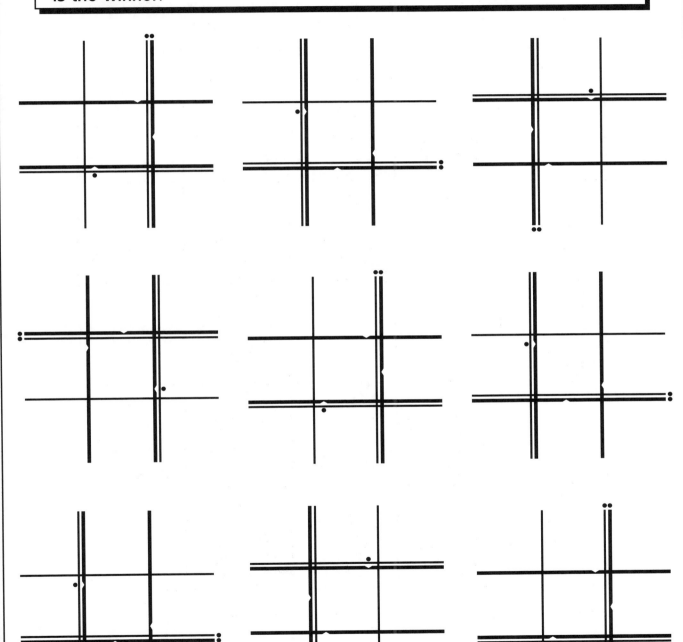

PICTURE PUZZLE

Complete the rows. But be careful: each picture should only appear once in each row and each column. Draw lines connecting the pictures to their correct position in the grid.

Find where this section of the picture belongs in the main picture. Circle the spot, then colour it in.

SCRAMBLED WORD PUZZLE

The letters in the words below are all jumbled up. Unscramble them and put them in the right order to find the correct words.

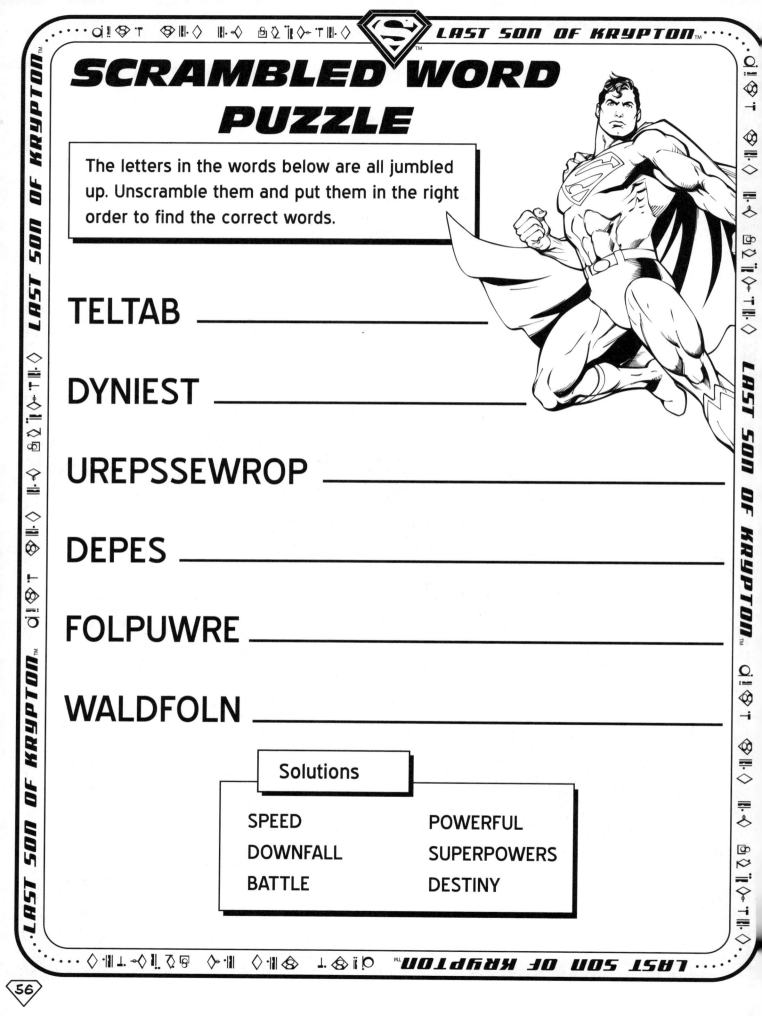

TELTAB _____

DYNIEST _____

UREPSSEWROP _____

DEPES _____

FOLPUWRE _____

WALDFOLN _____

Solutions

SPEED	POWERFUL
DOWNFALL	SUPERPOWERS
BATTLE	DESTINY

THE MAZE

Lex Luthor has lured Superman into a trap. Help Superman by showing him the way through the maze.

START

FINISH

3 IN A ROW WINS

Play this with your family or friends! The first player to complete a line of three circles or crosses, either horizontally, vertically or diagonally, is the winner.

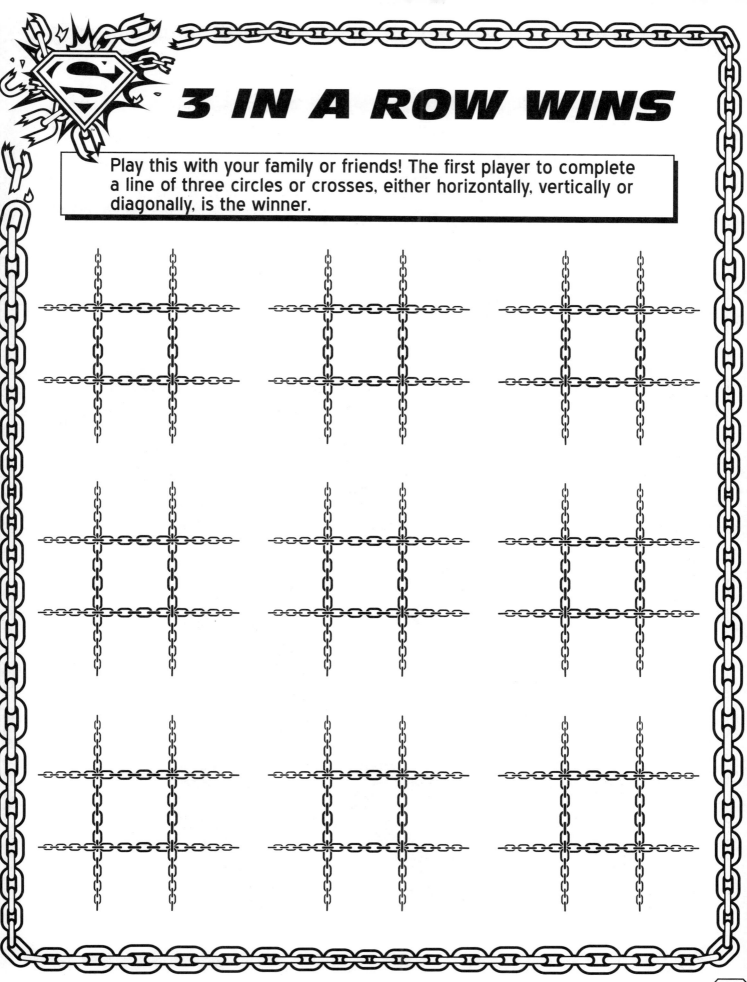

One of the shadows below does not belong to the above picture of Lex Luthor. Mark it with a circle.

DECODE THE KRYPTONITE

Use the alphabet to decode the Kryptonite words into English.

_____   _____   _____

_____

Kryptonite alphabet

‼	▐□	∞	□▌	Ḟ	◇	8	◈	—	•8	⌷	Oj	◇·	◇	‖·	◇—
A	**B**	**C**	**D**	**E**	**F**	**G**	**H**	**I**	**J**	**K**	**L**	**M**	**N**	**O**	**P**

♀	◊	Ⓢ	˙T	ïi	⊖	∞	⬚	ïl	—i
Q	**R**	**S**	**T**	**U**	**V**	**W**	**X**	**Y**	**Z**

SOLUTIONS

Page 2

STREFROS – FORTRESS

ECI REBHAT – ICE BREATH

REGENY – ENERGY

SIETALIBI – ABILITIES

MNA FO LSEET – MAN OF STEEL

CRAH MYENE – ARCH ENEMY

Page 3

THE ADVENTURES OF LOIS AND CLARK

Page 6

Page 8

Page 9

Page 12

Page 13

Page 14

PINJUGM TILBAYI – JUMPING ABILITY

PLTOMSOERI – METROPOLIS

ELOWYL UNS – YELLOW SUN

AGNEELR OZD – GENERAL ZOD

KLCRA TKNE – CLARK KENT

TUTHR – TRUTH

Page 15

RED KRYPTONITE

Page 18

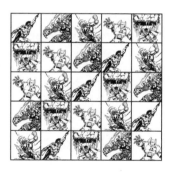

Page 19

Page 20

REOPTRRE – REPORTER

STEJCUI – JUSTICE

TEYINTID – IDENTITY

RYESOMITUS – MYSTERIOUS

SNO FO YTRPNOK – SON OF KRYPTON

EMHOEANNLP – PHENOMENAL

Page 21

TRUTH AND JUSTICE

Page 25

Page 26

AKL-LE – KAL-EL

RKPYNOT – KRYPTON

XLE TULROH – LEX LUTHOR

NINGNUC – CUNNING

HETNGRST – STRENGTH

SUPER HERO – SUPER HERO

Page 27

IS IT A BIRD?
IS IT A PLANE?
NO, IT'S SUPERMAN!

SOLUTIONS

Page 30

Page 32

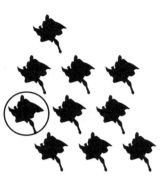

Page 33

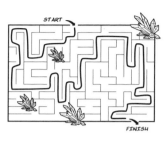

Page 34

Page 37

REPORTER
CLARK KENT

Page 38

ARW ODLWR – WAR WORLD
FOULPWER – POWERFUL
SAYVAREDR – ADVERSARY
RLVI XOD – VRIL DOX
XIEMERPI – IMPERIEX
CERTOTROP – PROTECTOR

Page 41

FORTRESS OF
SOLITUDE

Page 42

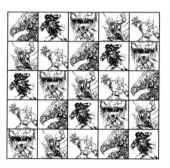

Page 43

RLAMO – MORAL
PRENWAPSE – NEWSPAPER
ATHE NISVIO – HEAT VISION
OSLI ELNA – LOIS LANE
BIVICENNLI – INVINCIBLE
CXEOPLR – LEXCORP

Page 45

JONATHAN AND
MARTHA KENT

Page 46

SEVINERU – UNIVERSE
ALEILMLLSV – SMALLVILLE
RACIBNAI – BRAINIAC
NELIDESHA – HEADLINES
EMIT VELART – TIME TRAVEL
LNASEPT – PLANETS

Page 49

Page 50

SAXR-Y – X-RAYS
AUMNPESR – SUPERMAN
IYADL LPETAN – DAILY PLANET
TAONINRNOFCTO –
CONFRONTATION
STYRYME – MYSTERY
TABLET RORUMA – BATTLE
ARMOUR

Page 51

MAN OF STEEL

Page 54

Page 55

Page 56

TELTAB – BATTLE
DYNIEST – DESTINY
UREPSSEWROP – SUPERPOWERS
DEPES – SPEED
FOLPUWRE – POWERFUL
WALDFOLN – DOWNFALL

Page 57

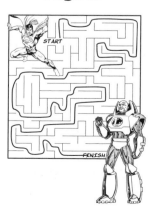

Page 60

Page 61

THE DAILY PLANET
NEWSPAPER